5~6세

다

KB099978

어린이 국어 따라쓰기

편집부편

와이 앤 엠

차 례

어린이
국어
따라쓰기

다

☆ 모음자 ‘ㅏ’를 익히고 예쁘게 따라 써 봅시다.

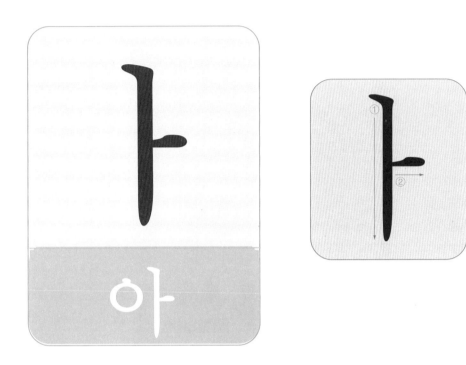

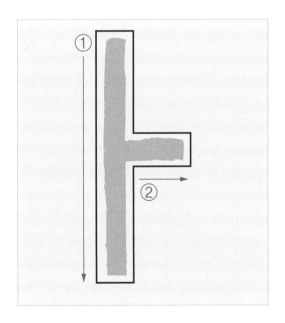

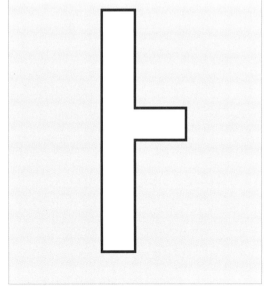

☆ 'ㅇ'와 'ㅏ'를 쓰기 순서에 맞게 따라 써 봅시다.

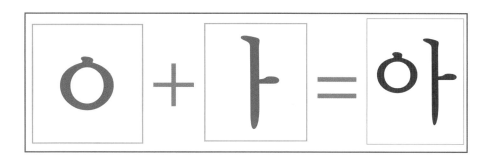

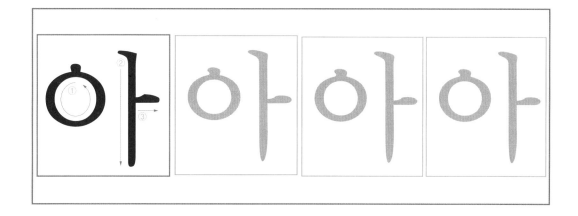

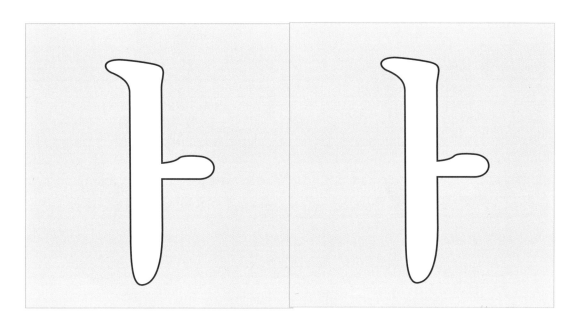

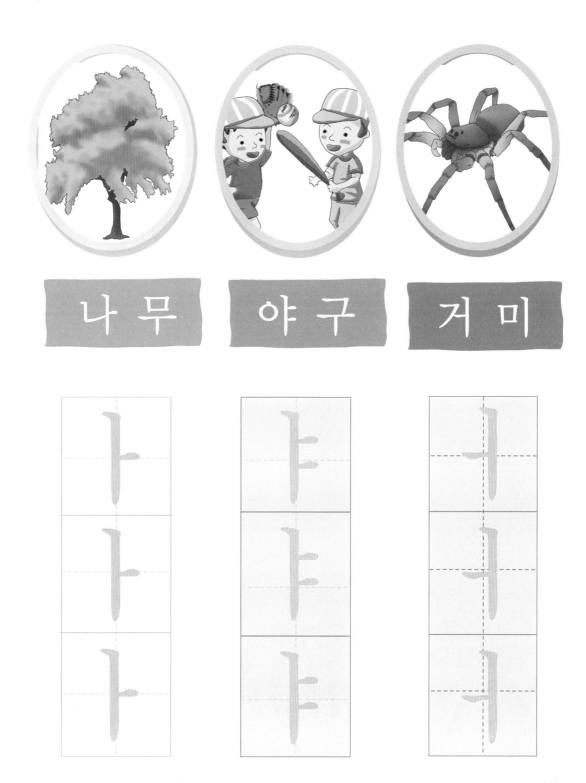

나무 야구 거미

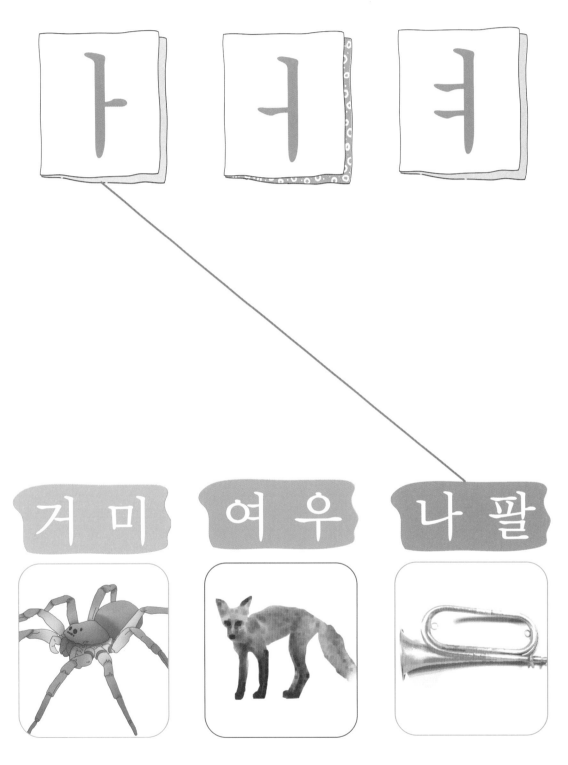

거미

여우

나팔

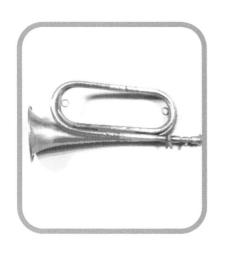

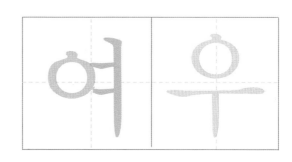

☆그림과 알맞은 낱말을 선으로 연결하여 봅시다

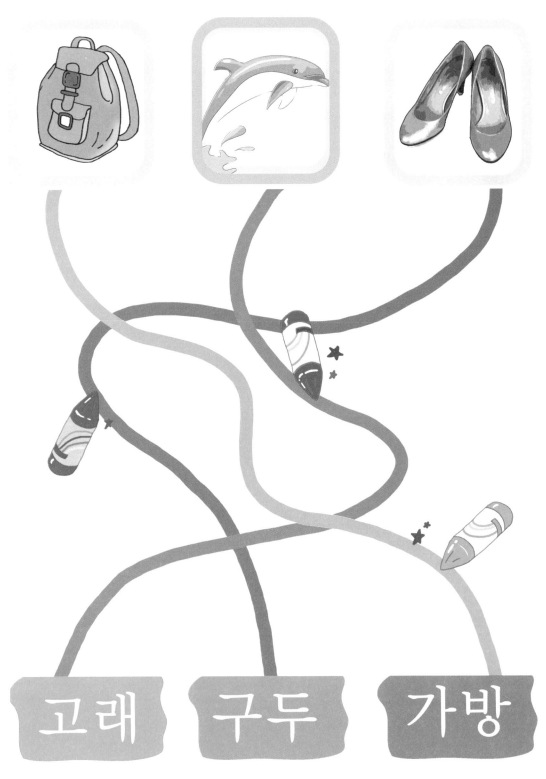

고래　구두　가방

★그림을 보고 예쁘게 따라 써 봅시다.

구두
구두

가방
가방

고래
고래

11

☆ 서로 알맞은 것끼리 선으로 연결하여 봅시다.

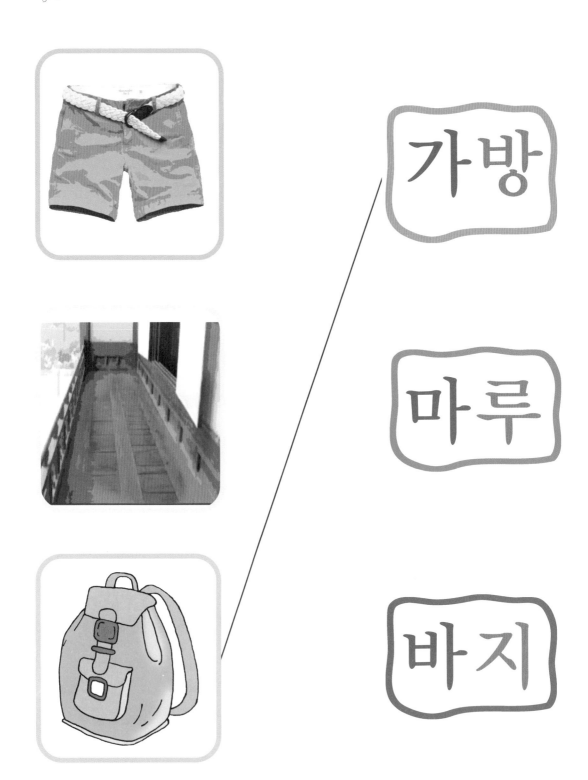

가방

마루

바지

☆ 그림을 보고 예쁘게 따라 써 봅시다.

아래에서 같은 모음이 들어간 글자를 서로 선으로 연결해 봅시다.

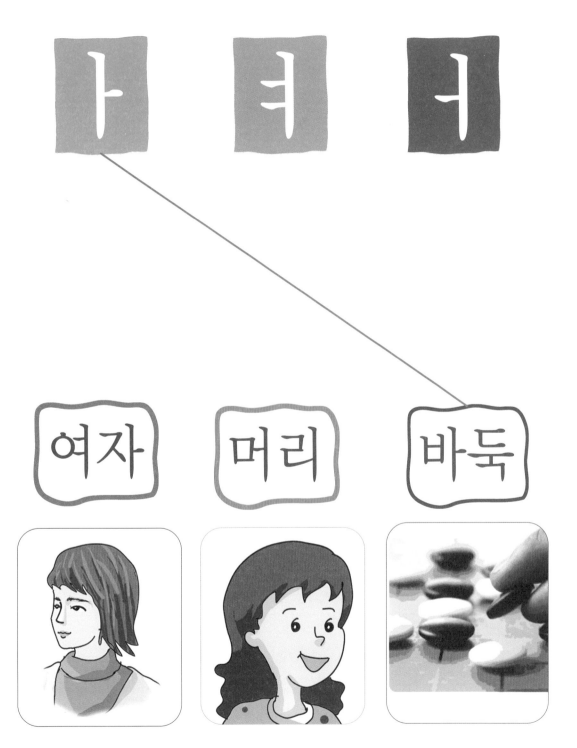

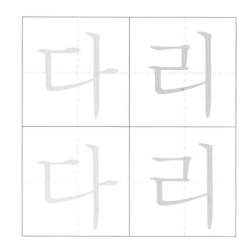

 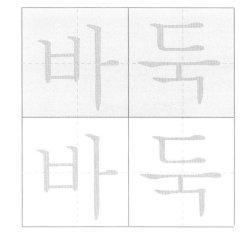

 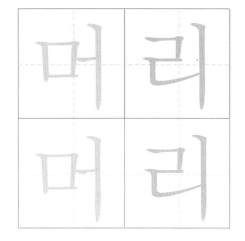

그림을 보고 다음 쪽에 예쁘게 따라 써 봅시다.

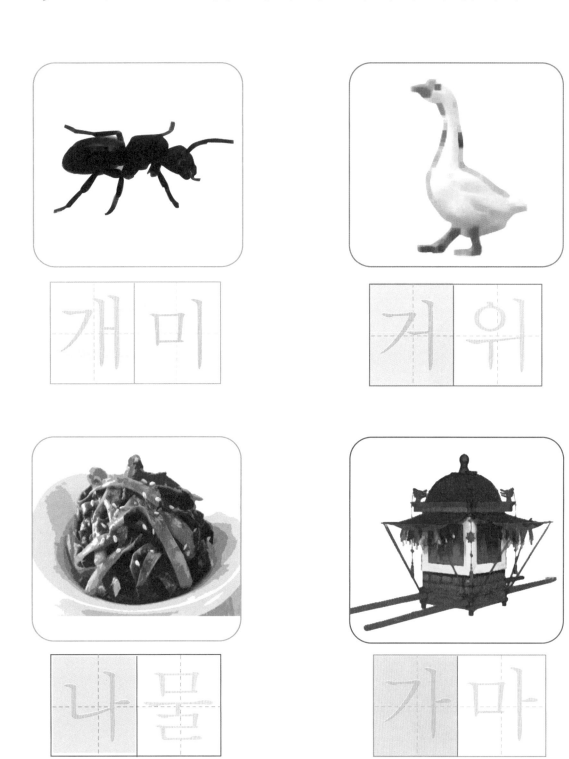

개미

거위

나물

가마

18

그림을 보고 다음 쪽에 예쁘게 따라 써 봅시다.

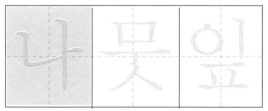

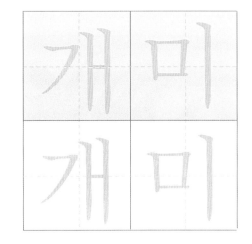

20

그림을 보고 예쁘게 따라 써 봅시다.

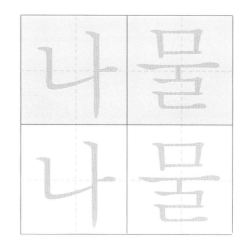

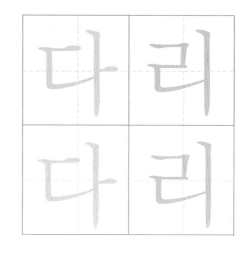

'오'가 들어간 낱말에 ○표를 해 봅시다.

나 비

늑 대

바 둑

소 라

'㉻ ㅑ'가 들어간 낱말에 ㅇ표를 해 봅시다.

어 망

자 루

누 나

야 구

23

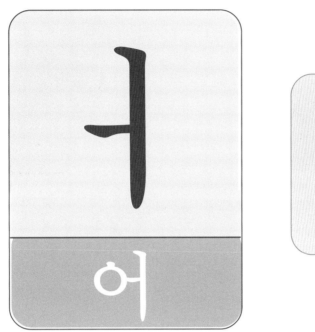

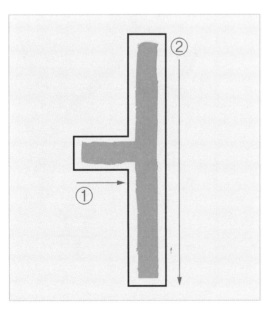

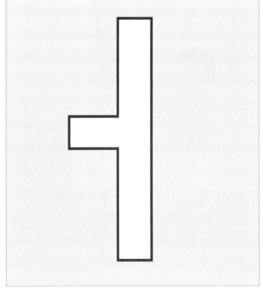

☆ 'ㅇ'와 'ㅓ'를 쓰기 순서에 맞게 따라 써 봅시다.

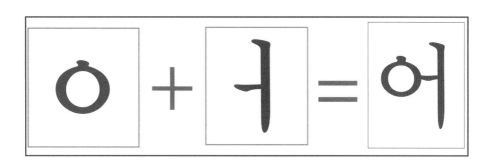

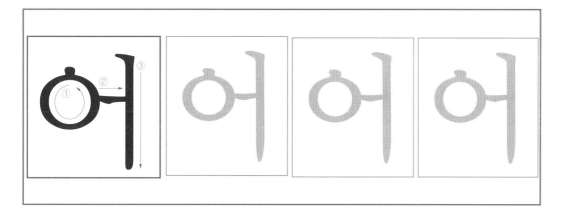

 그림을 보고 예쁘게 따라 써 봅시다.

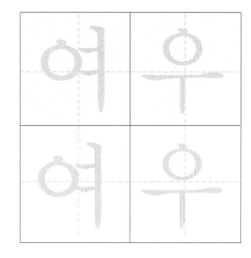

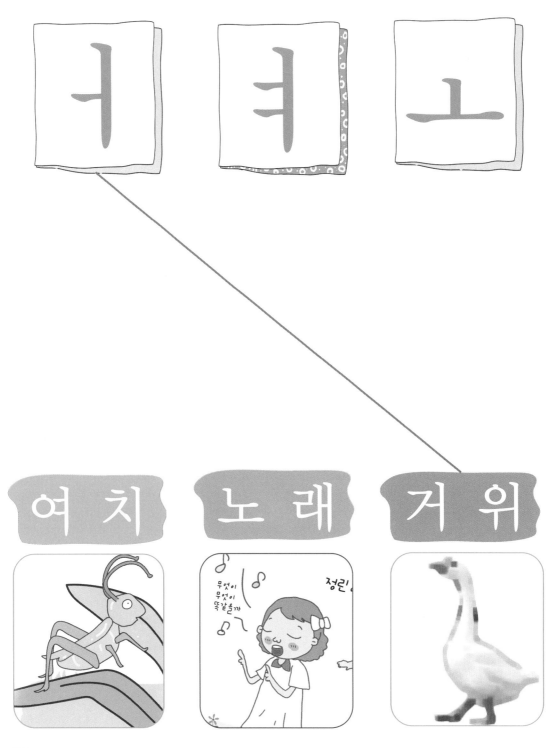

여치　　　노래　　　거위

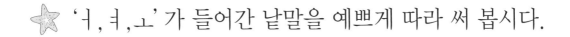 '┤,╡,ㅗ'가 들어간 낱말을 예쁘게 따라 써 봅시다.

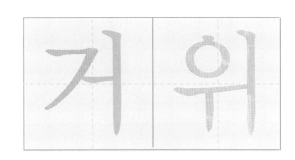

★ '자음자' 와 '모음자' 가 만나 어떤 자가 되는지 봅시다.

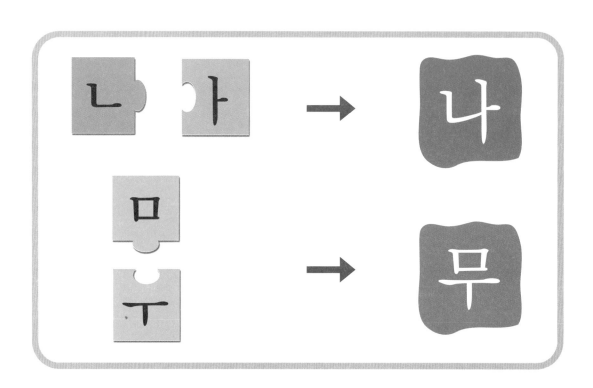

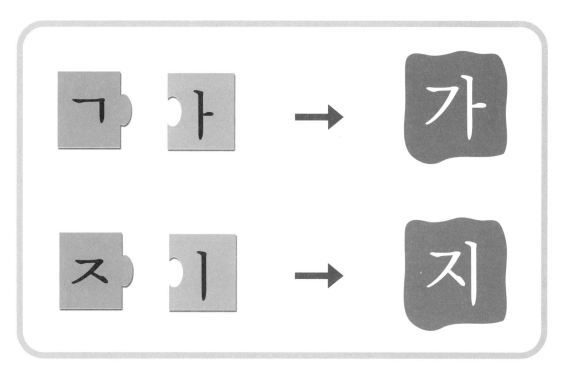

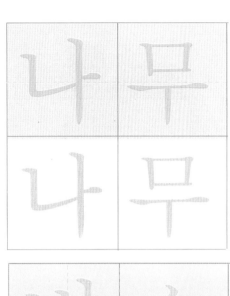

나무
나무

버스
버스

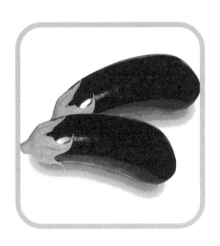

가지
가지

★ 서로 알맞은 것끼리 선으로 연결하여 봅시다.

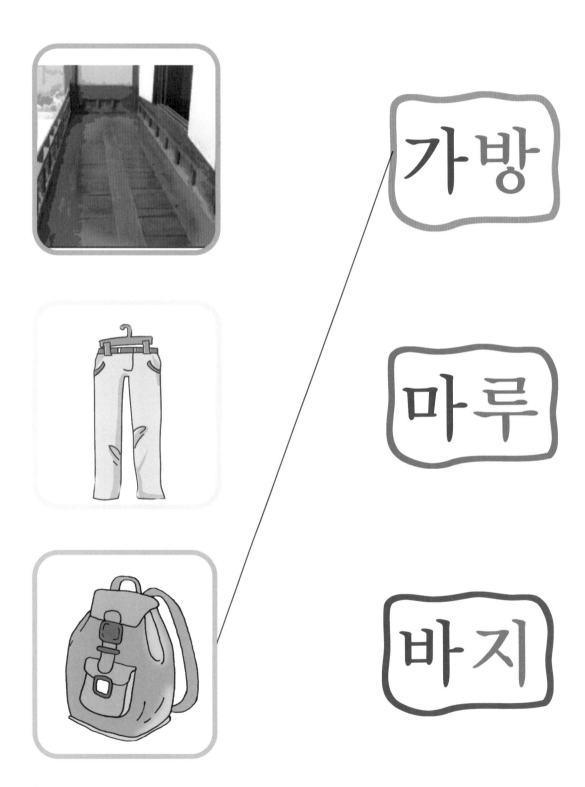

가방

마루

바지

☆그림을 보고 예쁘게 따라 써 봅시다.

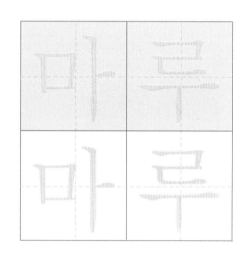

그림과 맞게 연결하여 낱말을 만들어 봅시다.

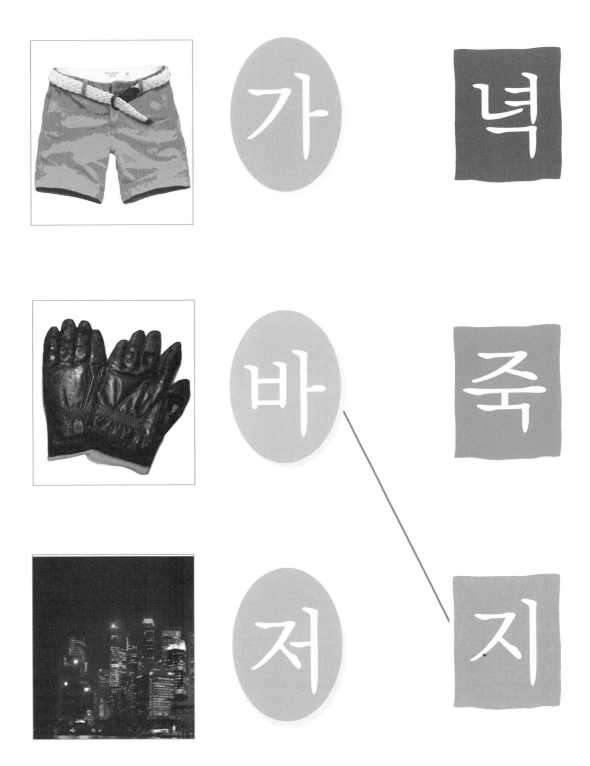

☆ 아래에서 같은 모음이 들어간 글자를 선으로 연결해
봅시다.

ㅏ　ㅖ　ㅓ

버섯　가마　여우

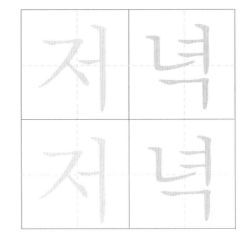

가마
가마

버섯
버섯

여우
여우

그림을 보고 다음 쪽에 예쁘게 따라 써 봅시다.

그림을 보고 다음 쪽에 예쁘게 따라 써 봅시다.

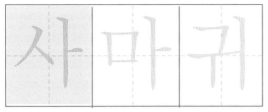

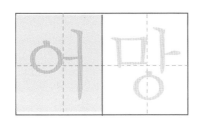

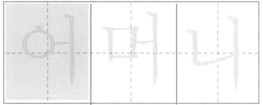

☆ 그림을 보고 예쁘게 따라 써 봅시다.

 그림을 보고 예쁘게 따라 써 봅시다.

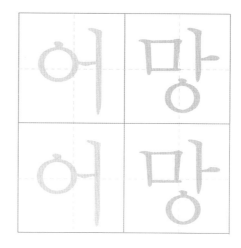

★ ㅏ, ㅑ, ㅓ, ㅕ를 예쁘게 따라 써 봅시다.

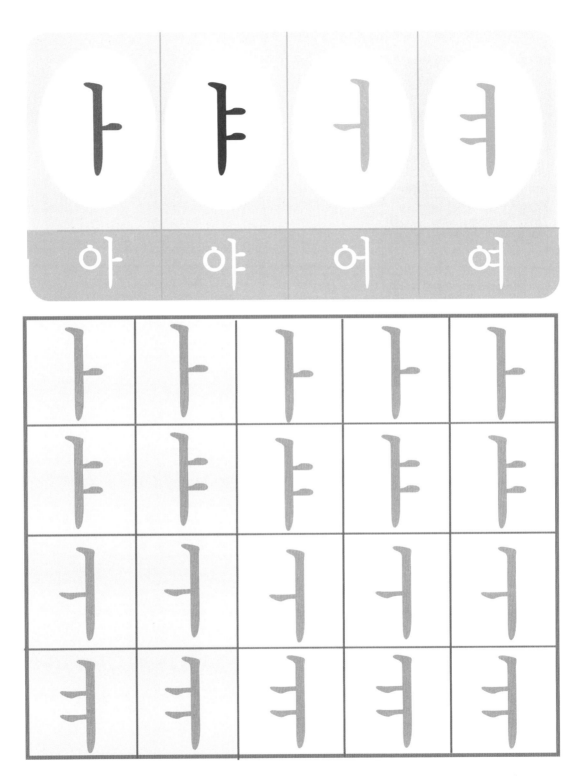

☆ 그림을 보고 예쁘게 따라 써 봅시다.

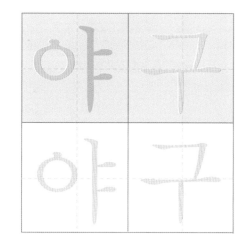

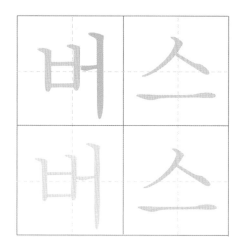

빈칸에 알맞은 모음자를 보기에서 찾아 넣어 낱말을 완성하여 봅시다.

보기

빈칸에 알맞은 모음자를 보기에서 찾아 넣어 낱말을 완성하여 봅시다.

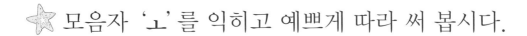 모음자 'ㅗ'를 익히고 예쁘게 따라 써 봅시다.

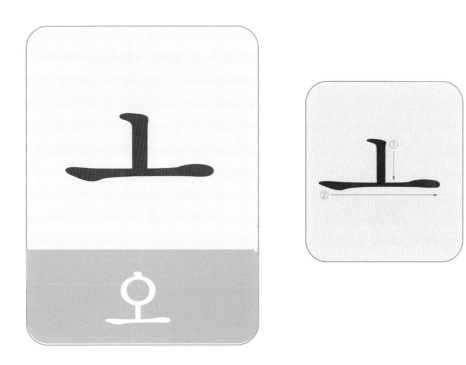

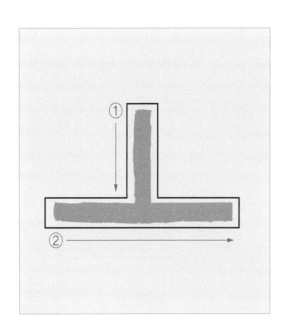

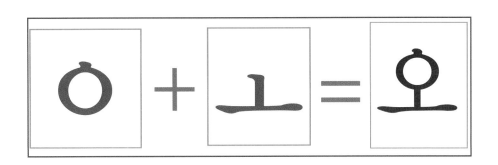

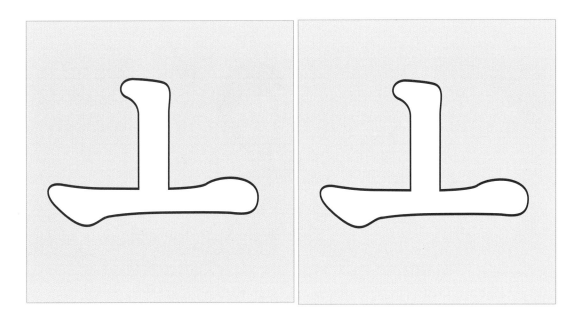

★ 화살표를 따라가며 ㅏ~ㅗ까지의 모음 순서를 알아 봅시다.

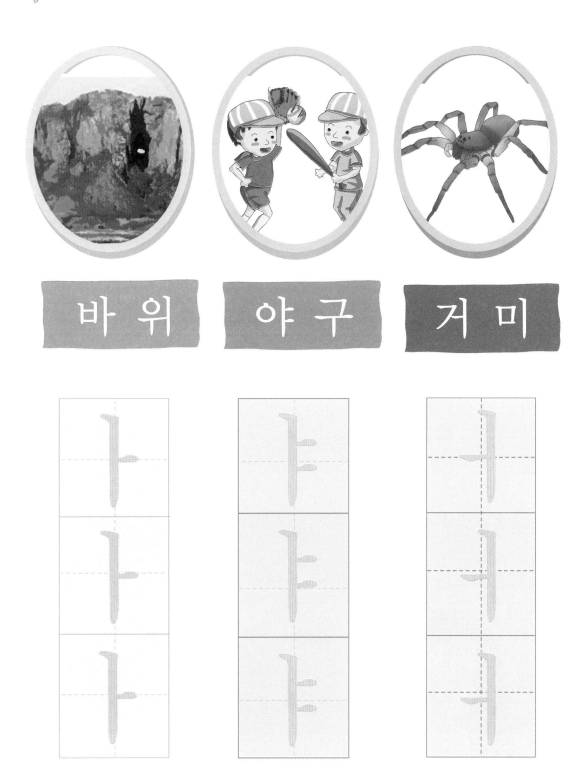

바 위   야 구   거 미

'ㅗㅛㅜ'가 들어간 글자를 선으로 연결해 봅시다.

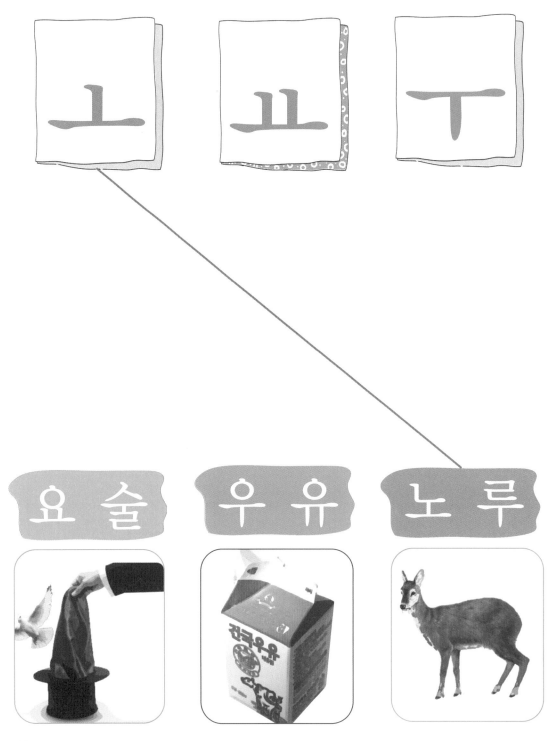

요술 우유 노루

'노요우'가 들어간 낱말을 예쁘게 따라 써 봅시다.

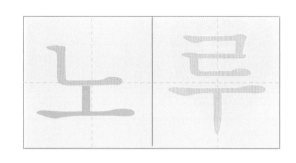

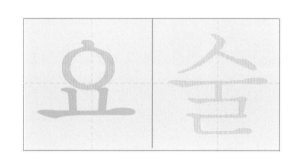

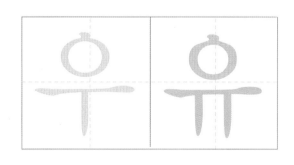

⭐ 자음자와 모음자를 짝지워 낱말을 만들어 봅시다.

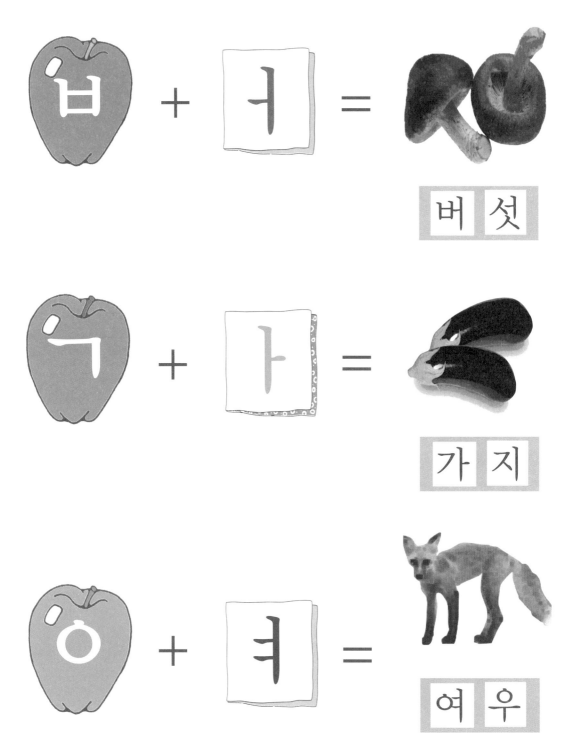

ㅂ + ㅓ = 버 섯

ㄱ + ㅏ = 가 지

ㅇ + ㅕ = 여 우

★ 그림을 보고 예쁘게 따라 써 봅시다.

가지
가지

버섯
버섯

여우
여우

☆ 서로 알맞은 것끼리 선으로 연결하여 봅시다.

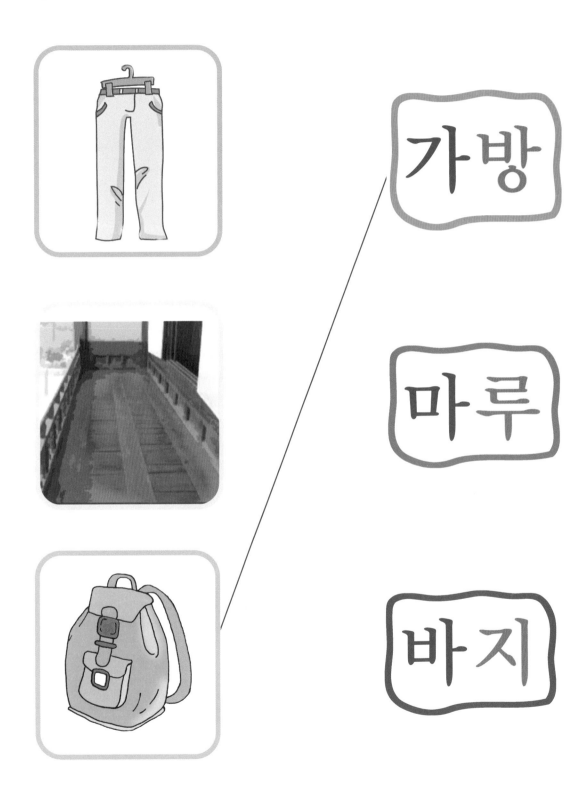

가방

마루

바지

☆ 그림을 보고 예쁘게 따라 써 봅시다.

★ 아래에서 같은 모음이 들어간 글자를 서로 선으로 연결해 봅시다.

‘자음자’ 와 ‘모음자’ 가 만나 어떤 자가 되는지 봅시다.

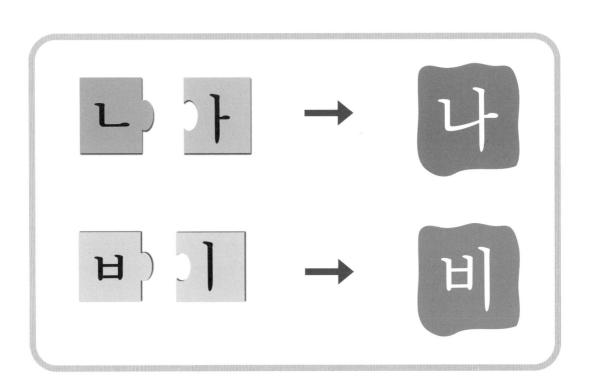

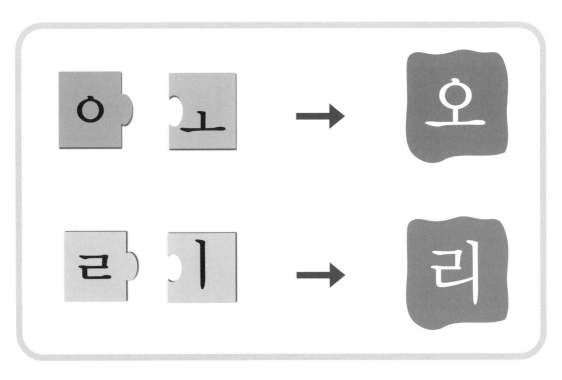

58

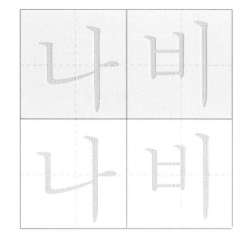

나비

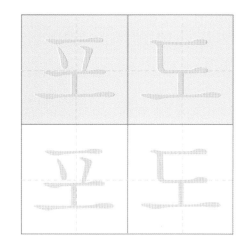

포도

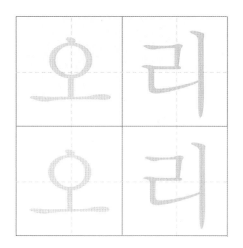

오리

그림을 보고 다음 쪽에 예쁘게 따라 써 봅시다.

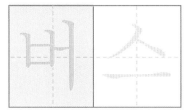

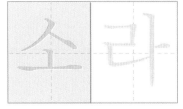

그림을 보고 다음 쪽에 예쁘게 따라 써 봅시다.

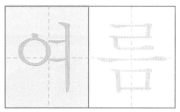

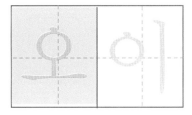

사과
사과

버스
버스

소라
소라

수 건

수 건

여 름

여 름

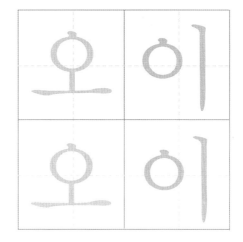

오 이

오 이

'고'가 들어간 낱말에 O표를 해 봅시다.

고 추

만 두

부 채

노 루

'	ㅗ ㅜ'가 들어간 낱말에 O표를 해 봅시다.

모 기

저 녁

사 과

수 건

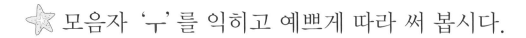 모음자 '⊤'를 익히고 예쁘게 따라 써 봅시다.

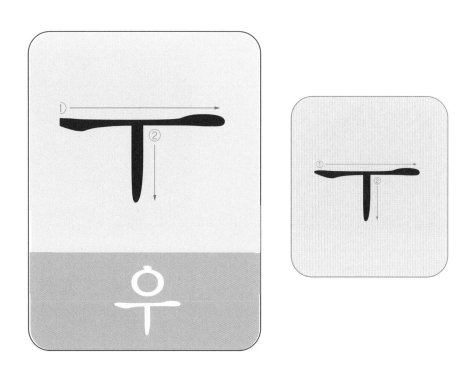

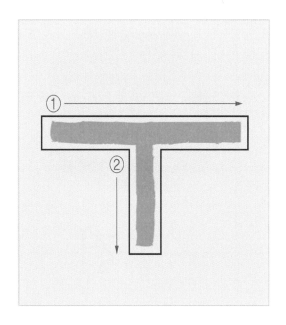

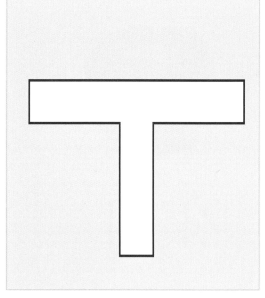

⭐ '○'와 '┬'를 쓰기 순서에 맞게 따라 써 봅시다.

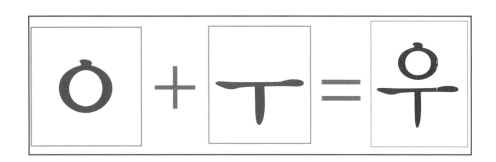

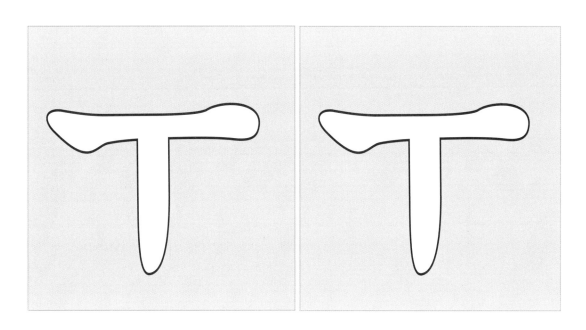

☆ 낱말과 모음이 어떻게 맞났는지 살펴 봅시다.

거위

별

고래

바위

ㅕ ㅏ ㅓ ㅗ

☆ 모음 'ㅏ, ㅑ, ㅓ'를 따라 써 봅시다.

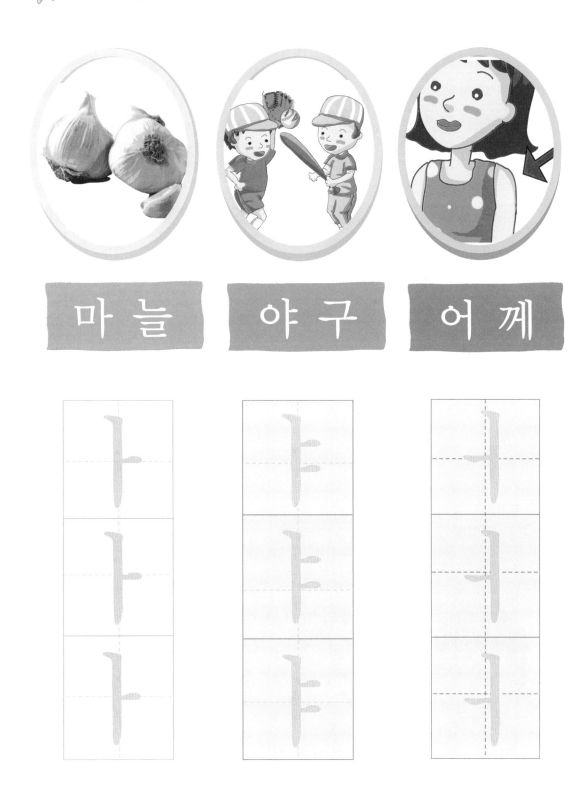

마늘 야구 어깨

☆ 'ㅜ ㅠ ㅡ'가 들어간 글자를 선으로 연결해 봅시다.

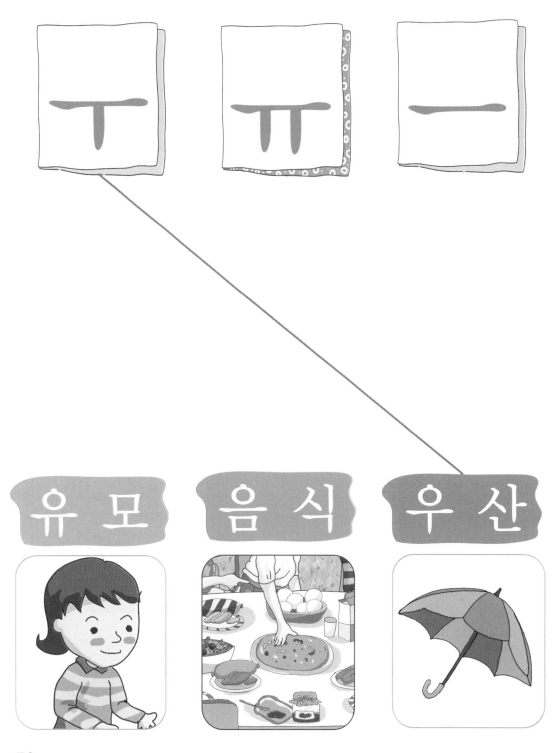

'　ㅜ ㅠ ㅡ'가 들어간 낱말을 예쁘게 따라 써 봅시다.

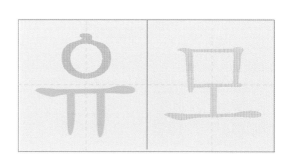

빈칸에 알맞은 모음자를 보기에서 찾아 넣어 낱말을 완성하여 봅시다.

빈칸에 알맞은 모음자를 보기에서 찾아 넣어 낱말을 완성하여 봅시다.

⭐ 서로 알맞은 것끼리 선으로 연결하여 봅시다.

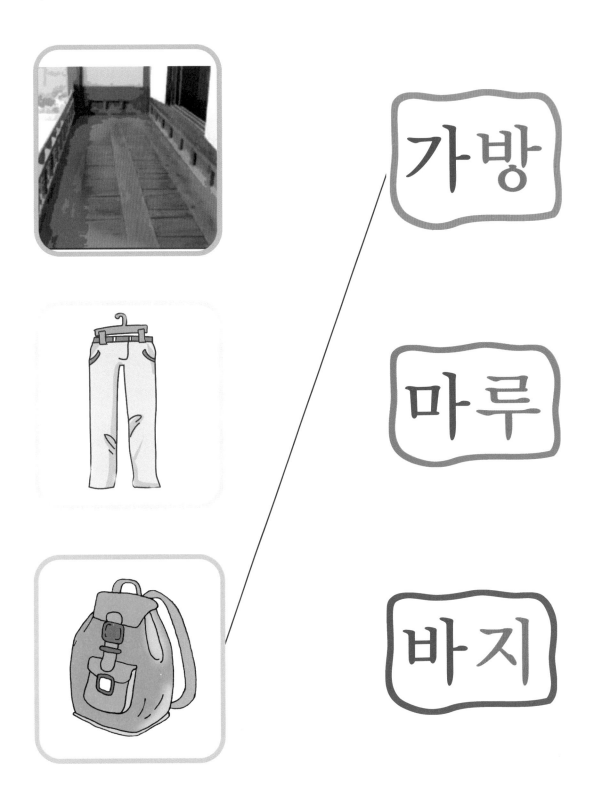

가방

마루

바지

그림을 보고 예쁘게 따라 써 봅시다.

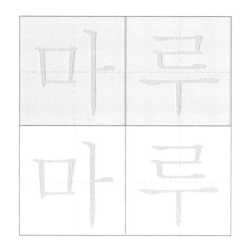

☆ 아래에서 같은 모음이 들어간 글자를 서로 선으로 연결해 봅시다.

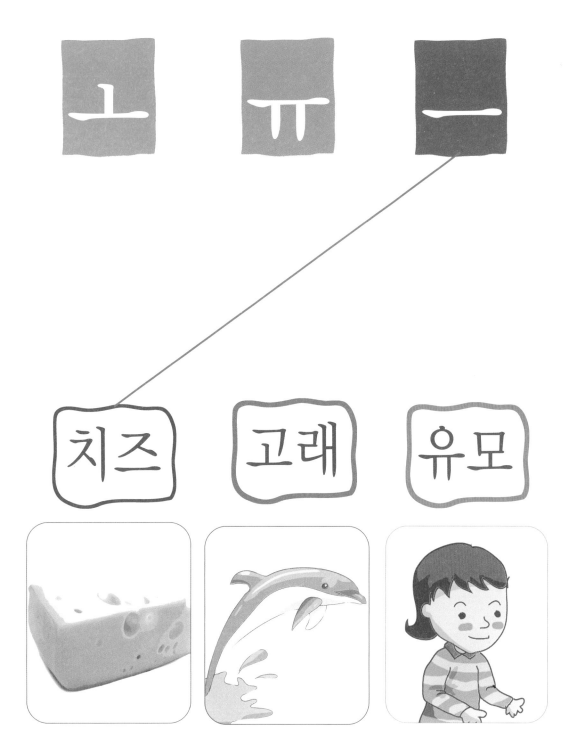

그림을 보고 예쁘게 따라 써 봅시다.

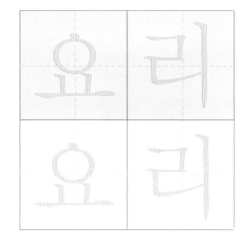

고래
고래

유모
유모

치즈
치즈

그림을 보고 다음 쪽에 예쁘게 따라 써 봅시다.

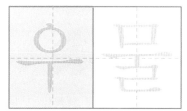

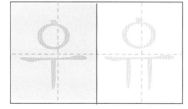

그림을 보고 다음 쪽에 예쁘게 따라 써 봅시다.

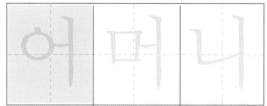

어 머 니

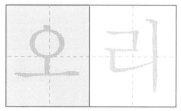

오 리

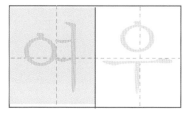

여 우

오 징 어

 그림을 보고 예쁘게 따라 써 봅시다.

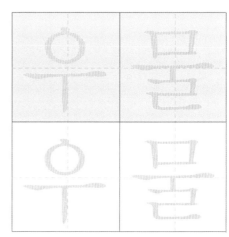

그림을 보고 예쁘게 따라 써 봅시다.

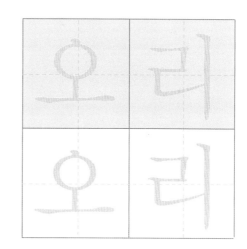

⭐ '자음자' 와 '모음자' 가 만나 어떤 자가 되는지 봅시다.

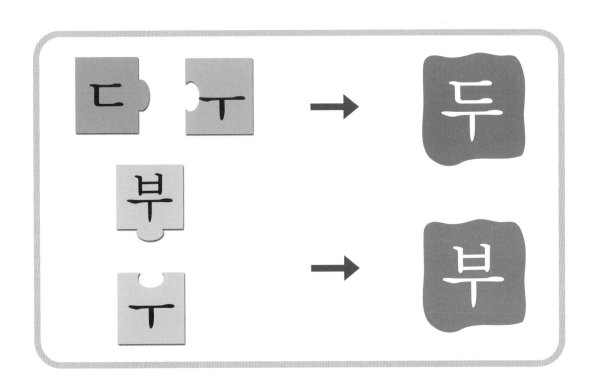

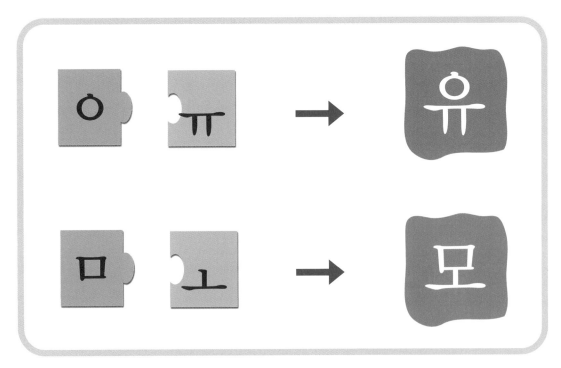

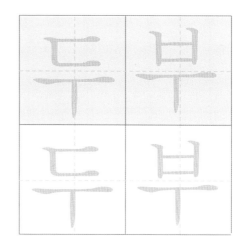

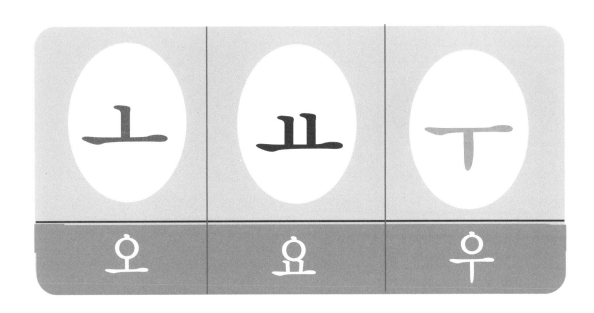

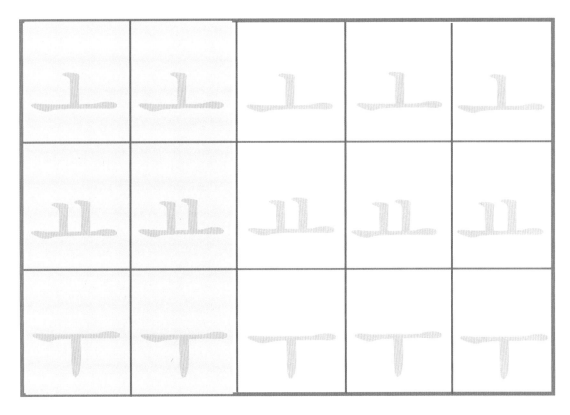

그림을 보고 예쁘게 따라 써 봅시다.

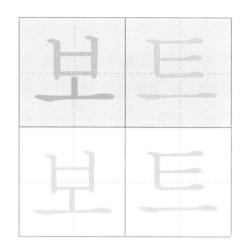

자음자와 모음자를 짝지워 낱말을 만들어 봅시다.

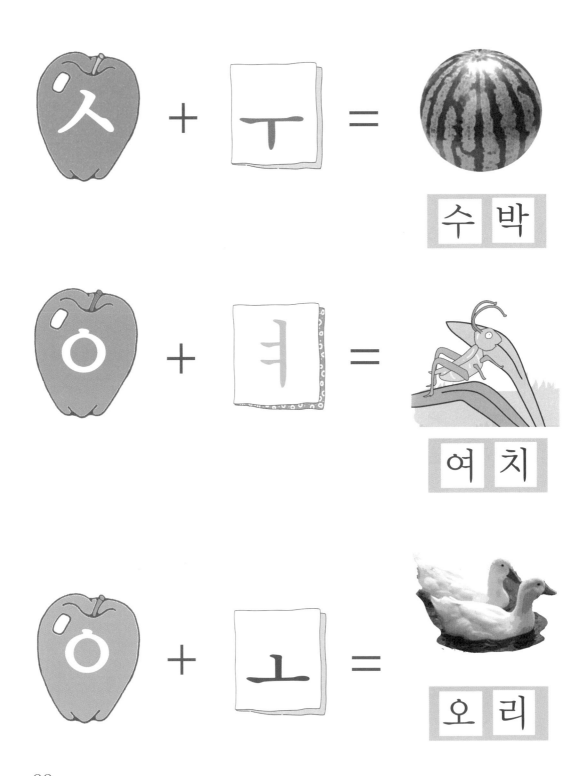

ㅅ + ㅜ = 수 박

ㅇ + ㅕ = 여 치

ㅇ + ㅗ = 오 리

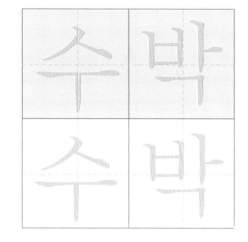

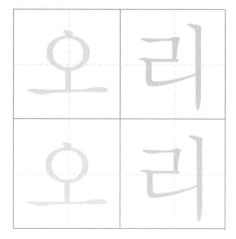

⭐ 다람이가 그림책에서 본 것을 그림에 맞게 써넣은 것입니다. 맞게 썼는지 살펴봅시다.

김치   수박   문어   국수   치즈   대문

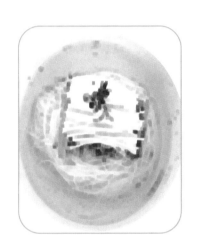

대문

문어

김치

치즈

☆ 모음자 '一'를 익히고 예쁘게 따라 써 봅시다.

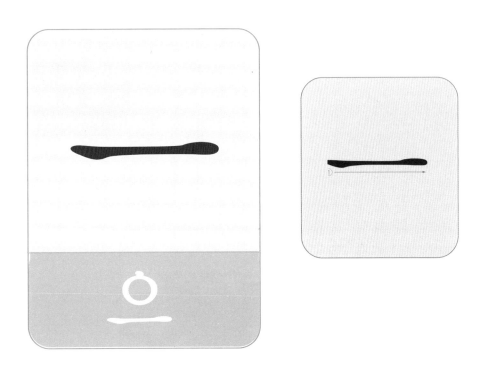

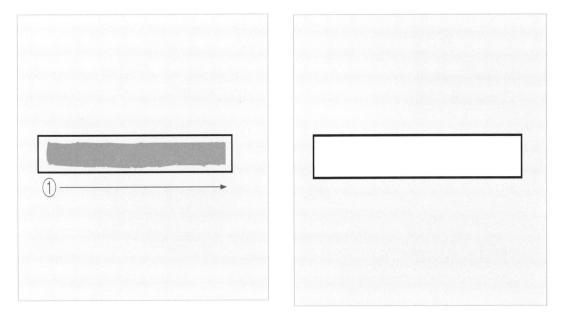

⭐ 'ㅇ'와 'ㅡ'를 쓰기 순서에 맞게 따라 써 봅시다.

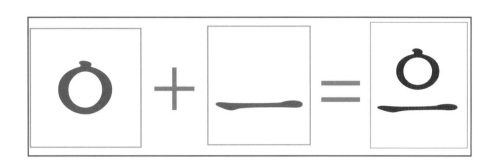

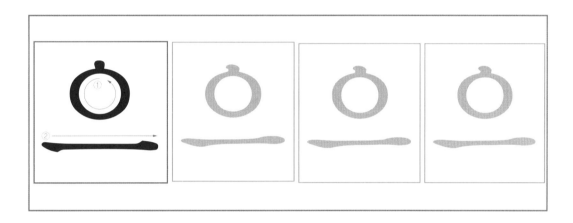

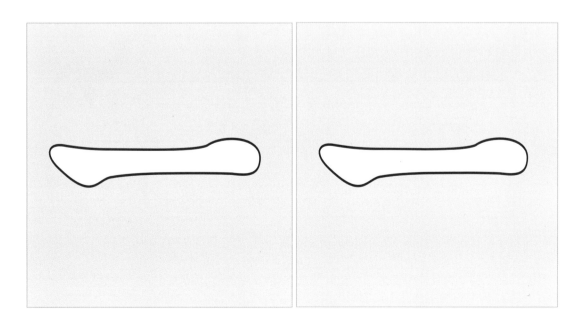

⭐ 화살표를 따라가며 ㅏ ~ ㅣ 까지의 모음 순서를 알아 봅시다.

★모음 '나, 냐, 너'를 따라 써 봅시다.

가 루   여 우   거 미

☆ '丄ㅡㅣ'가 들어간 글자를 선으로 연결해 봅시다.

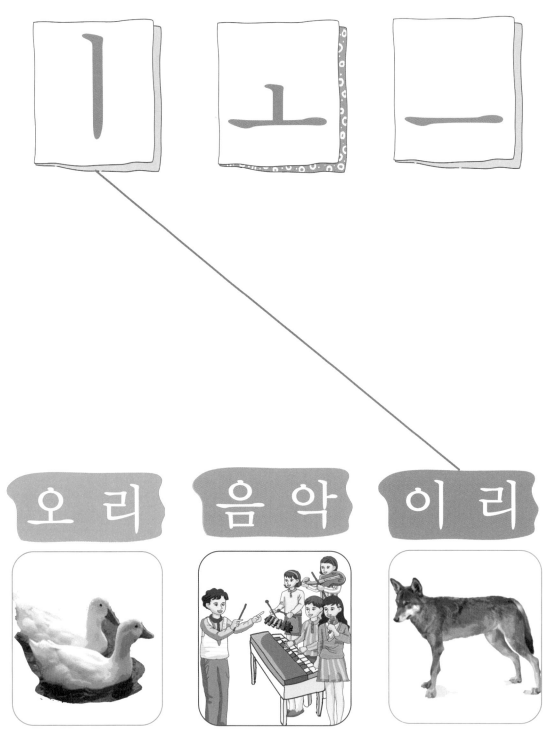

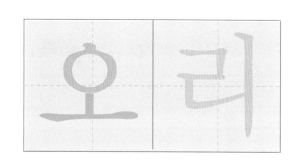

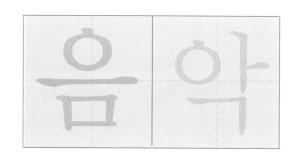

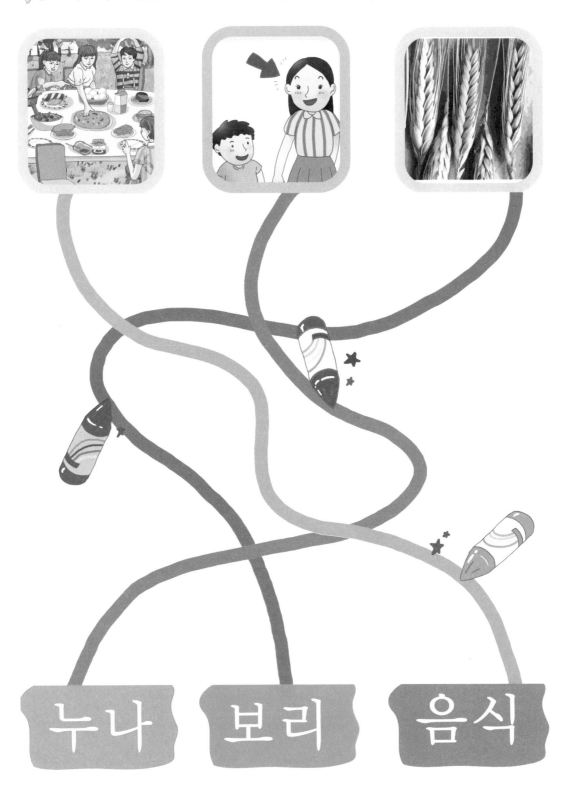

누나   보리   음식

☆ 그림을 보고 예쁘게 따라 써 봅시다.

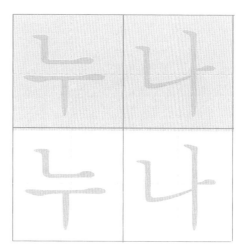

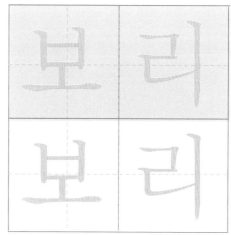

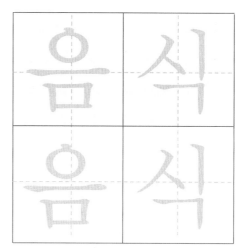

✩ 서로 알맞은 것끼리 선으로 연결하여 봅시다.

가방

마루

바지

★ 그림을 보고 예쁘게 따라 써 봅시다.

✿ 아래에서 같은 모음이 들어간 글자를 서로 선으로 연결해 봅시다.

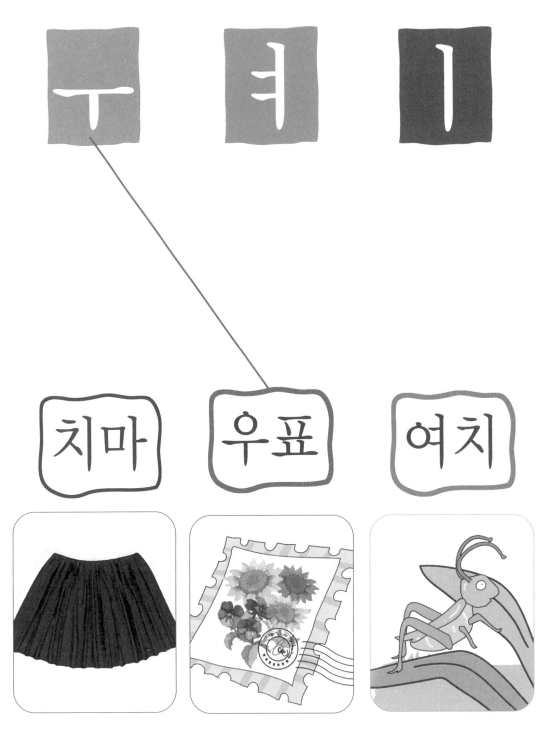

그림과 맞게 연결하여 낱말을 만들어 봅시다.

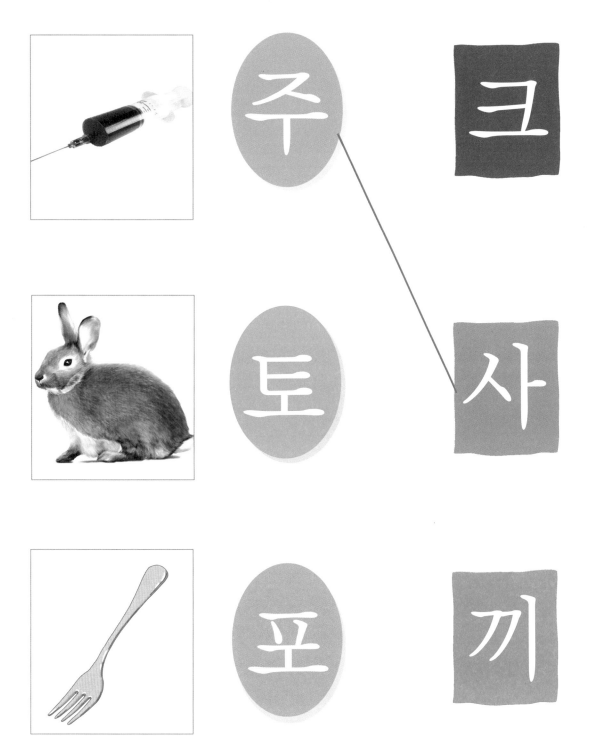

여치
여치

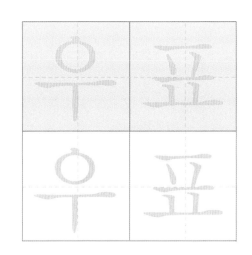

우표
우표

치마
치마

그림을 보고 예쁘게 따라 써 봅시다.

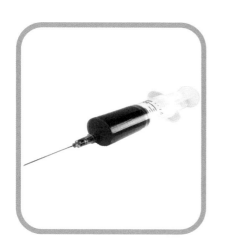

주사

토끼

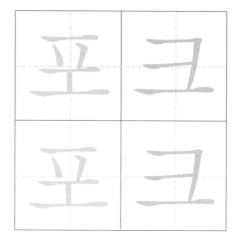

포크

이리

음식

치마

이끼

피아노

조개

호박

파랑새

이리
이리

음식
음식

치마
치마

이 끼

이 끼

조 개

조 개

호 박

호 박

⭐ 다람이가 그림책에서 본 것을 그림에 맞게 써넣은 것입니다. 맞게 썼는지 살펴봅시다.

연필   공책   나비   필통   책상   비누

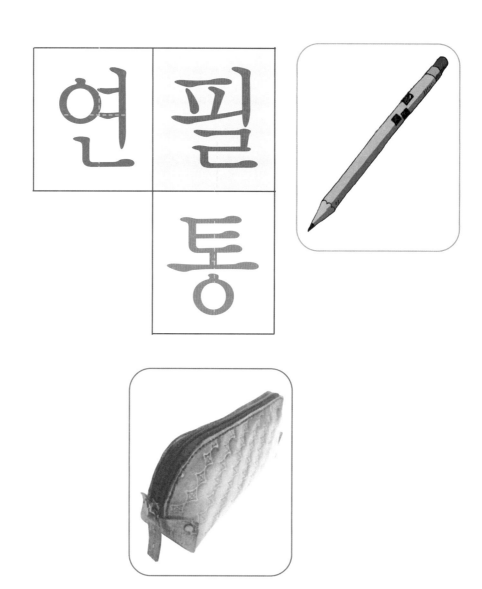

공 책

상

나

비 누

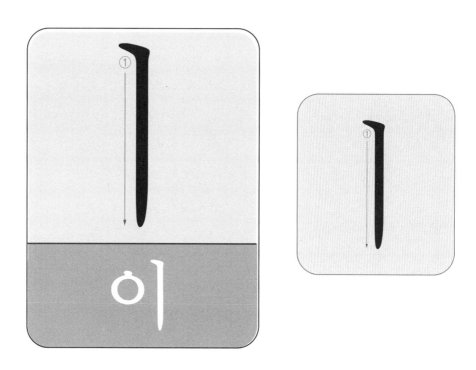

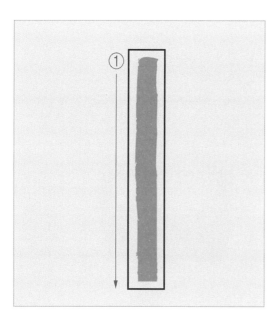

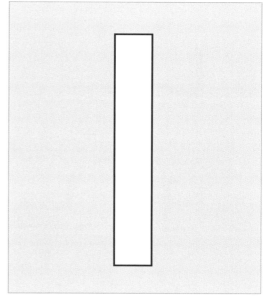

'오'와 '㇐'를 쓰기 순서에 맞게 따라 써 봅시다.

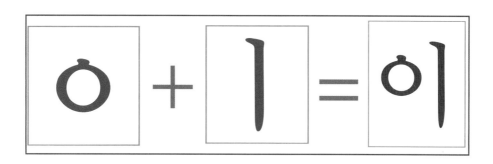

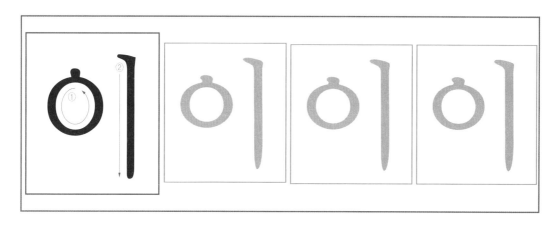

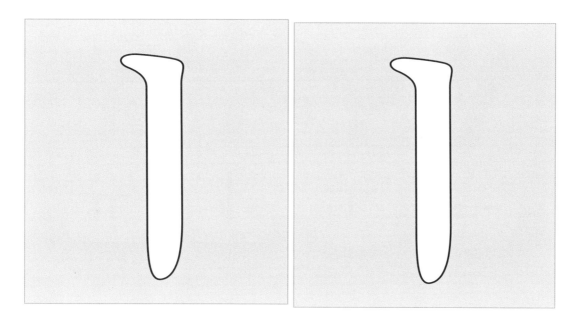

낱말과 모음이 어떻게 맞났는지 살펴 봅시다.

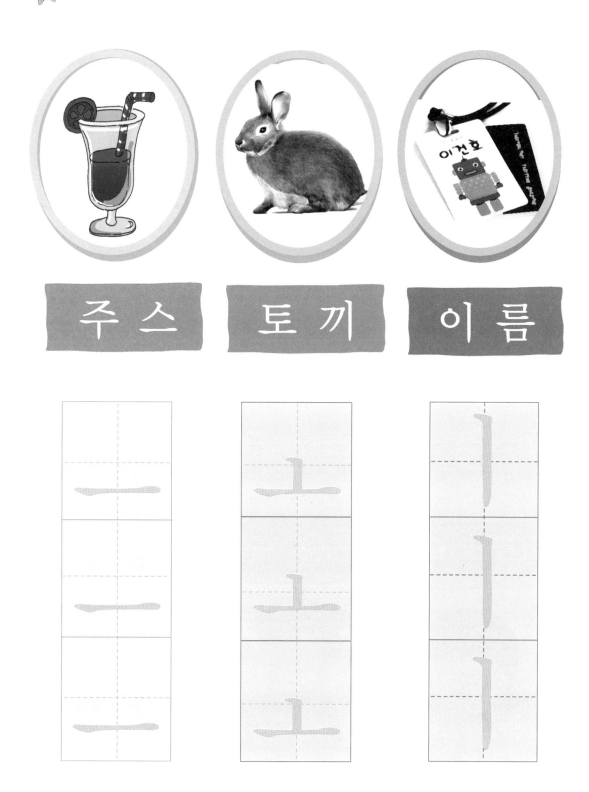

주스　토끼　이름

'㤠ㅠ ㅣ'가 들어간 글자를 선으로 연결해 봅시다.

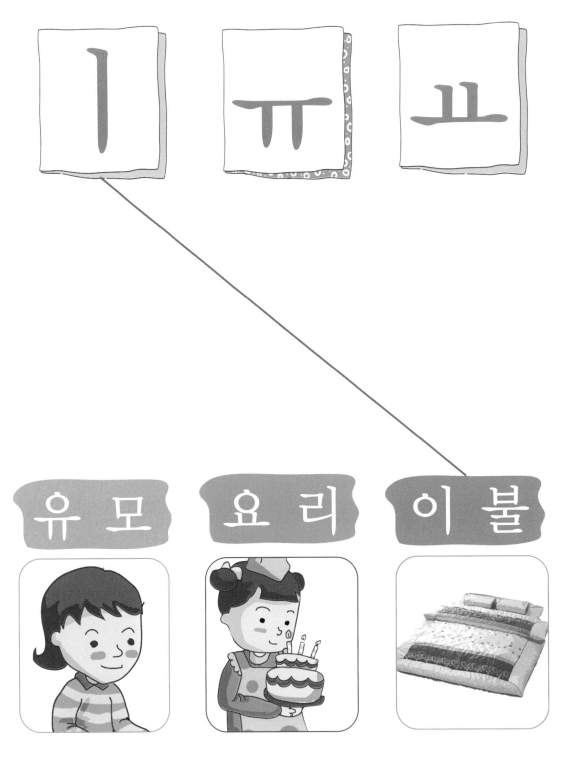

유 모   요 리   이 불

'**ㅛ ㅠ ㅣ**'가 들어간 낱말을 예쁘게 따라 써 봅시다.

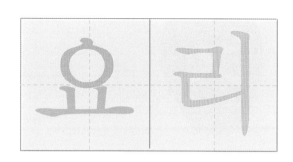

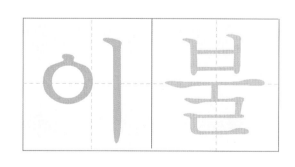

⭐ 자음자와 모음자를 짝지워 낱말을 만들어 봅시다.

ㅊ + ㅡ = 치 즈

ㅇ + ㅣ = 이 끼

ㅇ + ㅜ = 우 물

☆그림을 보고 예쁘게 따라 써 봅시다.

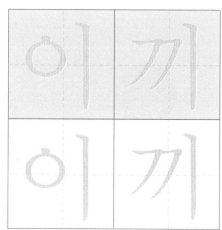

⭐ 그림과 맞게 연결하여 낱말을 만들어 봅시다.

⭐ 아래에서 같은 모음이 들어간 글자를 서로 선으로 연
결해 봅시다.

그림을 보고 다음 쪽에 예쁘게 따라 써 봅시다.

조각

우물

우산

시소

타이어

타조

지구

토마토

그림을 보고 예쁘게 따라 써 봅시다.

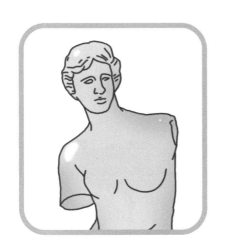

☆ 모음자를 읽고 예쁘게 따라 써 봅시다.

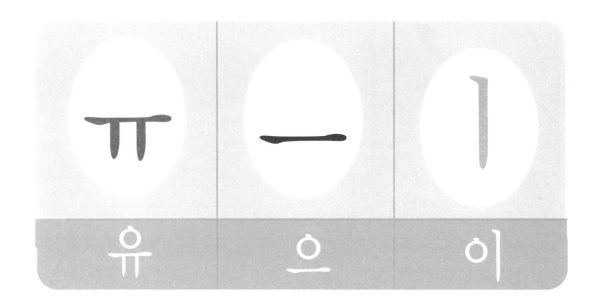

그림을 보고 예쁘게 따라 써 봅시다.

유리
유리

뉴스
뉴스

미역
미역

어린이(5-6세)
국어 따라쓰기(다)

초판 발행 2017년 2월 28

글 편집부

펴낸이 서영희 | **펴낸곳** 와이 앤 엠

편집 임명아

본문인쇄 신화 인쇄 | 제책 일진 제책

제작 이윤식 | 마케팅 강성태

주소 120-100 서울시 서대문구 홍은동 376-28

전화 (02)308-3891 | Fax (02)308-3892

E-mail yam3891@naver.com

등록 2007년 8월 29일 제312-2007-00004호

ISBN 978-89-93557-78-7 63710

본사는 출판물 윤리강령을 준수합니다.